ID0835706

LAURENCE GILLOT

L'affaire du labo

ILLUSTRÉ PAR ANAÏS MASSINI

casterman

1

LE BOUQUET ANTI-POÉSIE

Ce matin, maman m'a proposé d'apporter quelques fleurs à ma maîtresse et j'ai pensé immédiatement: « Si je lui offre un petit bouquet, elle n'osera certainement pas m'envoyer au tableau pour réciter le truc de Maurice Carême. »

Car tous les lundis matin sans exception, la « Castor » interroge plusieurs élèves.

Au jardin, j'ai cueilli trois iris, deux pivoines et une branche de lilas, j'ai emballé les tiges dans un papier d'aluminium et je suis parti avec mon bouquet anti-poésie à la main.

Comme d'habitude, Margoton est sortie de

chez elle au moment précis où je passais devant sa maison. Je ne comprends pas : que je parte à huit heures dix, huit heures et quart ou huit heures vingt, je la rencontre à chaque fois. Je suis sûr qu'elle me guette.

Gab, mon copain, dit qu'elle est amoureuse de moi. Personnellement, je pense qu'elle cherche à m'embêter. Elle me lance toujours un « Bonjour Cyyyyyyyprien ! » avec son air de grande de CM2. Et hop ! elle m'em-boîte le pas. Tous les jours, c'est le même cinéma : elle marche cinq mètres à peine derrière moi. Quand elle est enrhumée, je l'entends même renifler. En ce moment par exemple, c'est un vrai concert de snif-snif.

Margoton me colle au train, comme ça, jus-qu'à l'école. Mais il arrive aussi qu'elle change de chemin sans que je m'en aper-çoive : je crois qu'elle est derrière moi et en fait elle n'y est plus. Cela se produit souvent ces temps derniers. Ou alors elle se trouve déjà dans la cour et elle me regarde en sou-riant d'un air narquois quand j'arrive.

Je la déteste.

Parfois aussi, elle me double en sautant à cloche-pied ou elle marche à mon niveau sur le trottoir d'en face. Et quand je cours, elle court. Et quand je flâne, elle flâne.

— Marche sur tes mains, tu verras bien ce qu'elle fera ! a suggéré un jour Gab.

Il est marrant, lui !

J'ai horreur d'être suivi. Je ne sais plus comment me tenir. Je fais attention à ne pas marcher en canard et je n'ose plus tourner la tête. Si seulement je pouvais changer de trajet ! Mais c'est impossible, Margoton et moi habitons dans la même impasse.

Bien sûr, ce matin, elle a regardé mon bouquet et elle s'est exclamée :

— Oh oh ! C'est pour qui ?

Je lui ai répondu :

— Pour le pape !

Et j'ai continué ma route en pressant le pas.

À l'école, la Castor marchait seule dans la

cour, mais j'ai attendu la sonnerie pour lui offrir mon bouquet. Le temps qu'elle trouve un vase et de l'eau, je me suis dit qu'on pourrait s'amuser cinq minutes de plus dans la classe.

À huit heures et demie donc, quand elle m'a vu approcher avec mes fleurs, elle s'est écriée :

— Cy-pri-en ! Comme c'est gentil !

Je suis devenu rouge poisson.

Elle s'est baissée pour m'embrasser. C'était plutôt agréable, sauf qu'elle a laissé une marque de rouge à lèvres sur ma joue et qu'elle a aussitôt voulu l'enlever. Elle a alors trempé son pouce dans sa bouche et a frotté la trace rose avec son doigt plein de salive. C'était écœurant ! C'est ainsi que je me suis retrouvé avec de la bave de Castor sur la pommette droite.

Pendant ce temps, mes copains en profitaient. Gab et Jonathan faisaient une dernière partie de billes sur une table et j'entendais les filles, au fond, qui gazouillaient.

10

Ensuite, comme prévu, la Castor est partie chercher de l'eau et moi, dégoûté, je m'essuyais comme je pouvais avec la manche de mon T-shirt. Beurk de beurk !

Heureusement, ce n'est pas moi qui suis allé au tableau pour réciter le poème.

Vers neuf heures et quart, en pleine leçon de mathématiques, j'ai craqué : ma joue me démangeait trop. J'ai demandé à aller aux WC. J'ai traversé en courant la cour vide. C'est bizarre une cour vide. J'ai longé la cantine, je suis entré dans les toilettes et vite, je me suis passé de l'eau fraîche sur le visage.

C'est précisément à cet instant que j'ai entendu un drôle de bruit derrière la porte d'un cabinet. C'était un bruit étrange, comme une respiration, ou plutôt comme un reniflement.

Tout de suite, j'ai pensé au « boa ». Cette histoire de serpent, je sais que c'est une bêtise, mais je me méfie quand même. Aussi, quand je vais aux WC, je jette toujours un œil dans le trou, de peur que le « boa » ne remonte par le tuyau, sorte de l'eau et vienne me mordre les fesses. La semaine dernière, le grand frère de Gab a juré qu'il avait vu le « boa » chez son dentiste. Quel idiot !

Les reniflements continuaient de plus belle derrière la porte et comme je n'avais aucune envie de me retrouver nez à nez avec la bête, j'ai débarrassé le plancher illico presto.

Soudain, un fracas de chasse d'eau et un claquement sec de loquet ont résonné et, courageusement, je me suis retourné pour voir.

12

C'était… Margoton !

Décidément, elle est partout celle-là !

— Qu'est-ce que tu fais là ? m'a-t-elle demandé aussitôt.

— Je fais du scooter, et toi ?

J'étais assez fier de ma réponse décalée, mais la sienne était mieux que la mienne et sur le coup, ça m'a irrité. Elle m'a dit :

— Moi ? Je viens de photographier mes genoux au photomaton ! Tu veux voir ?

Évidemment, j'ai dit oui et elle a sorti de sa poche une bande de quatre photos couleur.

— Tiens !… Ils sont beaux, hein ?

Effectivement, sur toutes les photos, il n'y avait que des genoux. Huit au total !

J'étais interloqué et, avant de parler, j'ai dû tousser un peu pour m'éclaircir la voix.

— Pourquoi tu fais ça ?

— Pour avoir mes genoux en photo !

— Mais ça te sert à quoi ?

— À rien ! a-t-elle marmonné évasivement.

Et c'est là qu'elle m'a lancé le défi :

— Si demain tu m'apportes un photomaton

de tes pieds, je t'emmènerai dans un endroit secret !

À la récréation, j'ai tout raconté à Gab et ensemble, on est allés dans les toilettes pour

voir le photomaton. On savait qu'il n'y en avait pas, mais on voulait vérifier quand même.

Et puis, en sortant de l'école à quatre heures et demie, on a couru jusqu'au photomaton de la gare.

— Elle veut tes pieds nus ou avec tes chaussures ? m'a interrogé Gab devant la machine.

Je n'avais pas réfléchi à la question, mais j'ai dit du tac au tac :

— Elle a dit pieds, pas baskets !

Quand j'ai enlevé mes chaussettes, cet imbécile de Gab s'est bouché le nez en levant les yeux au ciel et ça m'a fait rigoler.

Je me suis assis sur le tabouret et j'ai appuyé mes talons contre le rideau du fond. Gab a mis l'argent dans la fente et l'appareil a fait deux flashes. Ensuite, on a attendu cinq minutes que mes huit papattes sortent, et là, vraiment, on s'est bien amusés.

Le soir, pendant le dîner, j'ai demandé à mes

parents ce qu'ils savaient sur la famille de Margoton.

— Ce sont des gens bizarres, un peu bohèmes !

— J'ai lu dernièrement un article sur son père dans le journal, a poursuivi papa. Il étudie le comportement des animaux exotiques en captivité.

— L'été dernier, la boulangère racontait qu'ils avaient un bébé crocodile dans leur baignoire, a ajouté maman.

J'ai avalé ma salive et puis j'ai questionné :

— Et où ils l'avaient eu, ce bébé crocodile ?

— En Afrique, sans doute. Tu sais, il paraît que chaque année, la famille part au Nigeria pour que Margoton garde un contact avec son pays d'origine.

Je ne comprenais pas bien ce que disait ma mère et quand je lui ai réclamé des explications, elle a soupiré :

— Mais enfin, Cip-Cip ! Margoton est noire et ses parents sont blancs. Margoton a été adoptée !

16

Je le savais, mais c'était la première fois que je mesurais vraiment ce que pouvait signifier « être adopté ». Je m'imaginais, moi, vivant dans une famille noire sans connaître ma vraie maman et mon vrai papa, et cela me rendit terriblement triste.

LE COUP DU CHEWING-GUM

Huit heures dix. Je suis à dix pas environ de chez Margoton. Mon cœur bat vite et j'ai les jambes en coton. Neuf, huit, cinq… Dans la poche de mon blouson, je serre fébrilement mes huit pieds. Trois, un… Je passe devant sa porte.

Comme prévu, Margoton sort de chez elle. Poum, poum, poum, j'ai l'impression que ma poitrine va exploser.

— Bonjour Cyyyprien ! lance-t-elle, sûre d'elle, comme d'habitude.

J'ai la gorge tellement serrée que je ne réponds pas. Je continue à marcher et, évidemment, elle m'emboîte le pas.

Que faire ? Comment lui montrer les photos ? Aurait-elle oublié ?

Soudain, j'ai une idée. Je sors de ma bouche le chewing-gum que je suis en train de mâchouiller nerveusement, je le dépose au dos de la bande de photomaton et, sans m'arrêter, je colle le tout sur le premier lampadaire venu !

Beau coup, non ? Parfois, je me surprends moi-même.

La réaction de Margoton est immédiate. Elle me double comme une flèche en courant à toutes jambes. Qu'est-ce qu'elle fabrique ? Sans réfléchir, je hurle :

— Hé ! Hier, tu m'avais dit que tu me montrerais un endroit secret !

Elle se retourne et, dans l'élan, la voilà qui marche à reculons sur la bordure du trottoir, les bras en l'air, en faisant des grimaces. Le frère de Gab dit que Margoton est « complètement givrée ». Il a raison.

Je sens la colère monter en moi. Et plus on

approche de l'école, plus je suis furieux contre elle. Elle pourrait au moins me répondre ou me donner un rendez-vous. Elle pourrait, je ne sais pas moi, me...

En arrivant sur le grand boulevard, Margoton s'arrête brusquement à la hauteur du feu tricolore et attend, comme si elle voulait traverser.

Je passe devant elle en la fusillant du regard. Elle m'appelle :

— C'est par là !

Je bégaie :

— Mais il est bientôt huit heures et demie !

— C'est maintenant ou jamais ! lance-t-elle.

Je bredouille :

— Et l'école alors ?

— On ira après !

— Mais on va arriver en...

Juste à ce moment-là, le petit piéton lumineux devient vert et Margoton traverse, coupant court à notre conversation.

Je la suis.

Mon cœur bat à cent à l'heure. J'ai chaud, mes mains sont moites. Qu'est-ce que je vais raconter à la Castor ? Margoton se dirige vers la gare. Et si mes parents l'apprennent ? Tout à coup, elle se glisse derrière une palissade en métal sur laquelle il est inscrit en gros et en rouge : « CHANTIER INTERDIT AU PUBLIC ». Je me faufile aussi et nous nous retrouvons au pied de l'immense tour qui est en construction depuis des mois. Il n'y a personne, pas un ouvrier, pas un gardien, personne.

Margoton, le plus calmement du monde, entre dans le hall. Moi aussi.

L'endroit est bizarre. Les murs sont nus, sans peinture ni papiers peints. Le sol est jonché de bouts de tuyau et de petits débris de plâtre. Des fils électriques pendent du plafond. Il y a trois ascenseurs flambants neufs les uns à côté des autres. Margoton en appelle un et là, je prends peur :

— Mais, on n'a pas le droit d'être là !

Sans rien dire, sans même me regarder, elle

me pousse à l'intérieur de la cabine et elle appuie sur le bouton 27.

— L'autre jour, il est tombé en panne, me confie Margoton en souriant.

— Et t'étais dedans ?

Elle balance sa tête de haut en bas.

— Et qu'est-ce que tu as fait ?

Margoton, visiblement, a décidé, une fois de plus, de se taire. Elle se gratte longuement la cheville, les yeux en l'air. C'est incroyable ce que cette fille peut m'agacer !

Quand la porte de l'ascenseur s'ouvre, elle me pousse dehors en soufflant :

— Allez, zou !

— Eh ! Arrête de me pou…

Waou ! Quel lieu magnifique ! Nous nous trouvons dans une immense pièce à piliers, entourée de baies vitrées. Et le toit ? Je n'en ai jamais vu de semblable, c'est un immense couvercle en verre.

— Ça s'appelle une verrière ! dit Margoton.

Irrité, je marmonne à voix basse :

— Comme si je ne le savais pas !

En levant le nez, je vois le ciel et les nuages ! Devant et derrière moi, à ma gauche, à ma droite, je peux contempler toute la ville et bien au-delà encore… C'est splendide !

Accroupie au milieu du hall, Margoton cherche quelque chose dans son sac.

— Tiens, me dit-elle soudain.

Je me retourne et saisis la paire de jumelles qu'elle me tend. Des grosses jumelles très lourdes.

— Où tu les as eues ? C'est hyper cher des trucs comme ça !

Cause toujours, tu m'intéresses. Margoton ne desserre pas les dents, j'ai l'habitude maintenant. Elle aussi a des jumelles autour du cou. Elle s'approche du côté gare et me montre du doigt notre école juste en bas.

Je regarde. À l'œil nu, je devine mes camarades. Ils sont en rang par deux, ils s'apprêtent à rentrer en classe. Comme ils sont petits ! Tout émoustillé, je chausse les jumelles pour repérer mes copains, Gab et Jonathan.

L'église, les toits, les arbres du parc, encore

des toits, une rue, la voie ferrée. Bref, je vois tout défiler sauf l'école !

— Tu t'y prends comme un manche ! constate Margoton.

Quelle tête à claques, celle-là !

Je me concentre et m'exerce à nouveau. Avec succès cette fois ! Les jumelles grossissent énormément et j'ai maintenant sous les yeux les têtes de Clara, Sophie, Manon, Floriane… Et Gab ? Où est-il, Gab ? En le cherchant, je bouge un peu trop et paf ! Je me retrouve de nouveau dans les nuages, dans les arbres.

— Alors toi, on peut dire que t'es vraiment pas doué ! s'esclaffe Margoton.

Ben voyons ! Elle, c'est sûr, elle a au moins un don. Celui de m'énerver.

Je ne me décourage pas et, après une petite promenade dans le ciel, je finis par trouver Gab. Un peu par hasard, il faut bien l'avouer. Il regarde vers le porche. Il m'attend sans doute.

Et la Castor, où est-elle ? Je remonte le rang

24

et là, devinez qui je vois ? M. Dumond, le di-rec-teur !

De nouveau, je sens de l'angoisse monter en moi. Qu'est-ce qu'il fait là ? Je cherche encore la Castor. Pas de Castor.

Qu'est-ce que je vais raconter comme excuse à François Dumond, tout à l'heure ? Qu'est-ce qu'il va penser ? Mot à mes parents, convocation dans son bureau, punition… J'avale ma salive. Les muscles de mes genoux se contractent tout seuls et j'ai soudain une furieuse envie de partir.

À côté de moi, Margoton admire tranquillement le paysage. Elle se déplace, elle change de côté, elle va d'une baie vitrée à l'autre. Je l'observe un court moment : elle semble complètement décontractée.

— Regarde ! me dit-elle soudain. Entre l'église et le parc, il y a un gros bâtiment avec des stores rouges.

Je le cherche avec mes jumelles et, une nouvelle fois, j'erre… Le ciel, les cheminées, le canal, les rues, les voitures, une péniche, le cimetière, des fenêtres. Je vois tout sauf des stores rouges !

Je me repère à l'œil nu et recommence. Avec succès cette fois. C'est un immeuble de bureaux.

— Regarde la deuxième fenêtre à partir de la gauche au dernier étage ! fait Margoton.

Un serpent ! Un serpent jaune avec des taches noires ! Voilà exactement ce que je vois.

Je frissonne.

Le serpent ne bouge pas. Il est enroulé sur lui-même et une partie de son corps s'écrase contre la vitre d'un aquarium.

— C'est un vivarium ! précise Margoton.

— Je sais ! fais-je agacé.

Margoton m'énerve à la fin, avec ses grands airs et sa manie de lire dans mes pensées. Je la fixe en train d'explorer la ville.

— Tu veux ma photo ? bougonne-t-elle, provocante.

Vexé, je replonge derrière mes jumelles et de nouveau, je vise l'immeuble aux stores rouges.

Le serpent n'a pas bougé. J'aimerais bien le voir ramper mais monsieur roupille. Machinalement, je jette un œil sur la fenêtre d'à côté:

— Han!

La Castor! Je vois la Castor! J'avance d'un demi-pas, j'écarquille grand les yeux. Oui, pas de doute! C'est bien elle! Elle est ligotée sur une chaise et un homme vêtu d'une blouse blanche promène sous son nez un gros serpent!

Je bredouille maladroitement:

— Regarde la fenêtre à côté du serpent…

Rapide et habile, Margoton chausse ses jumelles et s'exclame:

— Oui, et alors?

Elle voit la Castor avec un vrai boa et elle dit: «Oui et alors?»!

— Ma maîtresse ficelée sur un fauteuil de bureau en compagnie d'un homme qui lui promène un gros serpent devant les yeux, tu trouves ça normal, toi?

Margoton me fixe et presse son doigt sur sa tempe:

— T'es un peu dingo, toi! Moi, je ne vois ni Castor ni bonhomme!

Puis elle s'accroupit, range ses jumelles dans leur étui et me réclame les miennes en me tendant silencieusement la main.

— Attends, je vérifie quelque chose. Je suis sûr que tu n'as pas regardé la bonne fe…

Mais Margoton me les arrache des mains et dit:

— Plus le temps, les ouvriers du gratte-ciel vont bientôt arriver. Ouste!

LE CHIEN-LOUP

Toc, toc, toc !

J'ai la tremblote.

— Entrez !

La grosse voix qui vient de m'inviter à pénétrer dans la classe est celle du directeur. Je la reconnais.

J'ai les jambes en compote. Timidement, j'ouvre la porte.

— Cy-pri-en ! articule M. Dumond.

Puis il regarde sa montre et continue :

— Tu arrives bien tard. Que s'est-il passé ? Rien de grave, j'espère !

Je bafouille :

— Je…

— Donne-moi ton mot d'excuse et va t'asseoir !

Gab me dévore des yeux. J'ai les joues en feu. Je bredouille :

— Je… je n'ai… pas de lettre de mes parents.

Le directeur s'immobilise soudain :

— Alors, je t'écoute !

D'un trait d'un seul, je sors l'histoire que Margoton m'a suggéré de raconter.

— J'étais prisonnier d'un chien-loup ! Il m'a poursuivi en aboyant. Alors je me suis réfugié en haut d'un mur et, pendant une heure, j'ai attendu qu'il s'en aille.

Le directeur me considère, l'air étonné, avec des yeux ronds.

Mes camarades se trémoussent sur leur chaise. Ils ne savent pas s'ils doivent rire ou me plaindre. Tous les yeux de la pièce convergent vers moi.

— Hier matin, à la même heure, explique François Dumond, Margot Samson du

CM2 est arrivée en retard pour la même raison. Il s'agit sans doute du même animal et du même mur.

Je maudis Margoton. Comment a-t-elle pu inventer une histoire pareille ? Comment moi, ai-je pu accepter de raconter une telle sornette ?

— Cy-pri-en ! Ouh ouh ! Je te parle ! reprend le directeur. Tu ne trouves pas ça bizarre, toi, un chien-loup qui attaque les élèves tous les jours à huit heures et quart ?

Je marmonne bêtement :

— Si !

Il se redresse et me dit, très sérieusement :

— Pour t'apprendre à raconter des sottises, tu inventeras pour jeudi cinq fausses excuses aussi originales que celle-là. Et maintenant, reprenons notre travail !

À peine est-il en train d'écrire au tableau que j'interroge Gab, mon voisin, tout bas :

— Pourquoi la Castor n'est-elle pas là ?

Démangé par la curiosité, Gab me pose une autre question :

32

— Alors ? C'était quoi son endroit secret à la Margoton ?

— Réponds-moi d'abord !

— Non toi ! Dis-moi où elle t'a emme…

— Cyprien ! Gabriel ! Silence ! tonne tout à coup le directeur.

Puis il reprend son explication de texte, mais, n'y tenant plus, je recommence :

— Pourquoi la Castor n'est-elle pas là ?

— Elle est en Angleterre.

— C'est impo…

— Cyprien ! Dehors ! hurle M. Dumond.

À la récréation, je retrouve Gab dans la cour. Enfin !

— Alors comme ça, la Castor est en Angleterre ?

— Oui, mon pote. Son mari a eu un accident là-bas et elle est partie en urgence hier soir. C'est le directeur qui la remplace, répond Gab avant de continuer, tout émoustillé : alors, c'est quoi l'endroit secret de Margoton ?

Je lui raconte tout. Tout tout tout, jusqu'à ce que la cloche sonne.

À midi, comme tous les mardis, Gab vient manger chez moi.

— Il faut aller à la police et leur dire ! lance Gab sur le chemin.

— À la police ! Non, mais t'es pas un peu malade ! C'est juste bon pour avoir des ennuis avec mes parents, avec Margoton, avec l'école, avec les ravisseurs de la Castor.

— La Castor est en train de se faire dévorer par un python et monsieur pense à ne pas avoir de problèmes ! Alors là ! bravo ! Je vais y aller tout seul, moi, au commissariat !

Gab a raison, c'est sans doute la solution la plus raisonnable, mais je ne sais pas pourquoi, je l'en dissuade :

— Ne fais pas ça ! Et si on allait, nous, cette nuit, dans l'immeuble aux stores rouges ?

Les yeux de Gab s'agrandissent :

— T'es cinglé ! ? me dit-il.

C'est vrai que je me sens dans un drôle d'état.

J'insiste :

— Je suis un explorateur qui n'a jamais, jamais peur.

Depuis qu'il est tout petit, Gab rêve d'être détective privé et j'espérais bien, en disant cela, éveiller sa fibre d'aventurier.

— Cip-Cip, déclare-t-il enfin. Je crois que tu es devenu gravement zinzin mais, OK, je t'accompagne. On mène notre enquête et si on ne trouve rien, demain, on prévient la police, d'accord ?

J'acquiesce :

— OK !

En trois secondes, notre plan est au point : Gab annoncera à ses parents qu'il dort chez moi. Et moi, en arrivant à la maison, je demande l'autorisation à ma mère de passer la nuit chez Gab !

— Permission accordée ! dit-elle. Puisque demain c'est mercredi ! Je vais te préparer ton pyjama et ta brosse à dents.

En repartant à l'école à une heure et quart,

Gab et moi réfléchissons au programme de la soirée.

Un : pendant que Gab rentrera chez lui, j'irai acheter à boire et à manger.

Deux : à cinq heures et demie, nous nous retrouverons à la gare, devant le photomaton.

Trois : nous sillonnerons ensuite les rues pour trouver l'immeuble aux stores rouges.

Quatre : nous entrerons dans l'immeuble.

Cinq : nous monterons alors au dernier étage et nous nous cacherons dans un coin en attendant que l'immeuble soit désert.

Six : nous trouverons la Castor et nous la délivrerons.

Dans la cour de l'école, notre attention est attirée par un attroupement autour du seul platane de la cour.

— Que se passe-t-il ? demande Gab à Jonathan.

— Margot Samson est montée dans l'arbre et refuse d'en descendre.

— Pourquoi ?

— Le directeur lui a confisqué ses jumelles.
Sacrée Margoton !

Sous l'arbre, François Dumond trépigne.

— Margot ! Descends immédiatement ou
j'appelle les pompiers.

— Rendez-moi d'abord ce que vous m'avez
pris ! insiste calmement Margoton.

— Margot ! Je commence à en avoir assez
de tes caprices. Mademoiselle arrive en
retard, mademoiselle fait le bazar, mademoiselle fait des réflexions, mademoiselle
fait circuler des photos ou des petits mots en
classe, et si ça continue, je vais une fois de
plus en parler aux parents de mademoiselle.
Margoton ne dit rien.

Quand le directeur me voit, il me prend par
l'épaule et me dit, d'un ton plein de sous-
entendus :

— Puisque Margot est ton amie, monte
donc la chercher !

Je proteste :

— Ce n'est pas mon a…

— Allons ! Dépêche-toi !

J'obéis et grimpe à l'échelle que la dame de service vient d'apporter.

Confortablement assise entre deux branches, Margoton m'accueille sèchement :

— Qu'est-ce que tu viens faire là ?

Je réponds avec une fausse nonchalance :

— Oh rien, je passais par là ! Ça va ?

— Entre ! me dit-elle, et prends une chaise !

Je ris de bon cœur.

— Je ne veux pas vous déranger ! lui dis-je.

— Vous ne me dérangez pas du tout, je n'ai rien de prévu cet après-midi ! continue Margoton sur le même registre.

— Comment, vous n'allez pas travailler ?

— Non, je suis en congé de maternité ! déclare Margoton avec une voix précieuse de dame.

— Vous attendez un bébé ?

— Deux bébés, des filles ! m'explique-t-elle en jubilant.

Je m'exclame :

— Des petites jumelles ! Quel bonheur !

— Non, des grosses jumelles, monsieur !
Puis elle éclate de rire. Je ne comprends rien.

— Des jumelles ! répète Margoton en mettant les mains en rond devant ses yeux.

Ça y est, j'ai saisi l'astuce et je rigole à mon tour.

Je poursuis :

— Vous ne devriez pas monter dans les arbres dans votre état !

— Vous avez raison, je vais retourner sur terre !

Et juste à ce moment-là, alors que je suis sur le point de réussir, le directeur gâche tout :

— Vous voulez que je vous aide à plaisanter, là-haut !

— Non merci ! crie Margoton.

— Cyprien ! Viens ici ! ordonne-t-il.

Mais avant de descendre, je risque la question qui me brûle les lèvres depuis le début :

— Margot, qu'est-ce qu'il faut faire quand on se trouve face à un gros serpent ?

Margoton réfléchit et me lance :

— Il faut chanter, mon cher. Chanter *Frère Jacques*. Les reptiles exotiques adorent *Frère Jacques*, c'est bien connu !

En bas, tout le monde m'attend comme un héros.

Le directeur me questionne d'un seul mot :

— Alors ?

— Elle veut ses jumelles, m'sieur !

— J'appelle les pompiers ! décide-t-il haut et fort pour que Margoton entende.

LA « DEMOISELLE »

Tout se passe à merveille et même plus facilement que prévu, car il n'y a pas de gardien en bas de l'immeuble. Nous entrons tranquillement.

— T'as la pétoche ? s'enquiert Gab.

J'ai l'impression que tout le monde peut entendre mon cœur tellement il bat fort, mes mains tremblent, ma mâchoire est serrée. J'ai le sentiment très clair qu'on s'embarque dans une aventure un peu dangereuse. Néanmoins, je réponds à mon ami :

— Tu oublies que je suis un explorateur qui n'a jamais, jamais peur.

Nous empruntons l'escalier de secours et, ni vu ni connu, nous nous glissons dans le couloir du dernier étage, un couloir très large avec une drôle d'odeur d'hôpital.

— Moi, je me sens comme chez moi, ici ! fanfaronne Gab.

Tu parles ! Comme moi, il pète de trouille ! Son corps est raide comme un piquet et sa voix est brisée par l'émotion.

On entend en permanence un faible bourdonnement ponctué, de temps à autre, d'un bip.

— Bip bip ! murmure Gab d'un air faussement joyeux.

Il me surprend, malgré le stress, il parvient à plaisanter. Moi, je suis une boule de nerfs :

— Arrête de parler ! On va se faire repérer !

— Mais il n'y a personne ! fait remarquer Gab tout bas.

Je lui montre du doigt la pancarte « TOILETTES » un peu plus loin à droite. Nous y pénétrons aussi vite que des voleurs.

Ouf ! Nous voilà enfermés, en toute sécurité, dans l'un des trois WC. Il n'y a plus qu'à attendre que le temps passe. Il ne passe pas vite.

Tantôt c'est Gab qui s'assoit, tantôt c'est moi. On a rabattu la lunette à cause du boa. Parfois, des gens viennent et repartent.

On les écoute et à chaque fois, Gab glousse entre ses mains. Moi, rien à faire, je n'arrive pas à me détendre.

Certains actionnent la clenche de notre porte et, finalement, vont à côté.

Quelqu'un entre et crie :

— Françoise, tu es là ?

Pas de Françoise ici.

Puis arrive un monsieur qui rit :

— Ah ! ah ! ah ! Tu es vraiment incorrigible ! Et qu'est-ce que tu as fait pendant tout ce temps dans l'arbre ?

Gab me regarde. Je regarde Gab.

— J'ai lu, p'pa !

La Margoton ! Mais qu'est-ce qu'elle fait là ? Elle est décidément partout celle-là !

— Et puis, j'ai eu de la visite, reprend-elle.

Tu sais, le garçon qui habite au bout de notre impasse. Tu vois qui c'est ?

— Pas du tout ! dit le père.

— Tu sais, ça fait rire maman parce que sa mère est toujours tirée à quatre épingles ! Une vraie chochotte !

J'avale ma salive. Gab me regarde. Je ne regarde pas Gab.

— Ça ne me dit rien ! poursuit le papa.

— Eh bien, il est venu me voir dans l'arbre. Cyprien, il s'appelle ! Tu ne trouves pas que c'est un prénom à coucher dehors !

Je ravale ma salive. Gab me donne un coup de coude.

— Tu sais, il pourrait être mon ami, mais il est encore trop bête ! continue Margoton.

Gab m'administre un nouveau coup. Dans le plexus cette fois.

— Ah ! fait le papa.

— Oui, on plaisante bien. Il a des lueurs d'humour, mais il prend encore la vie trop au sérieux.

J'ai mal au ventre.

— Oui mais toi, tu ne penses qu'à rire !
rétorque son père.

Gab me regarde. Je regarde Gab.

— Et finalement, as-tu récupéré tes jumelles ?

— Ce sont les pompiers qui me les ont rendues… Est-ce que tu travailles demain, p'pa ?

— Oui, mon trésor, tous les matins, en ce moment je suis avec la « demoiselle », tu sais bien, je la couvre de serpents !

Gab me regarde, je regarde Gab.

— Bouh ! frissonne Margoton. Et ça t'amuse de la martyriser comme ça ?

— Tu sais bien que je n'ai pas pu refuser !

Et il part d'un grand rire.

Gab et moi, nous nous regardons droit dans les yeux, tétanisés.

On entend les deux robinets couler, le dérouleur de serviette se débobiner, et puis plus rien, ils sont partis.

Je suis bouleversé. Par ce que je viens d'entendre, évidemment, et aussi surtout parce que je suis jaloux. Oui, jaloux. Jamais mes parents ne me parlent comme lui, le père, parle à Margoton. Jamais. Jamais avec tant d'égard et de considération.

— La « demoiselle », c'est la Castor ! chuchote Gab.

Rien à dire, il fera un excellent détective. Je confirme d'un signe de tête.

— T'as entendu, t'es presque son ami. Dommage que tu sois trop bête ! Et ta mère, t'as entendu de quoi elle traite ta mère ? De cho…

Je balbutie :

— Ça va, Gab ! Je ne suis pas sourd !

Gab semble réaliser qu'il est un peu lourd et, après un silence, il murmure gravement :

— Pourquoi font-ils ça ?

Je me sens terriblement déboussolé. Je n'aurais jamais dû offrir ce maudit bouquet anti-poésie à la Castor. Il n'y aurait pas eu de bises baveuses, il n'y aurait pas eu la rencontre avec Margoton aux toilettes, ni les photomatons, ni la suite.

— La Castor est mariée et ils l'appellent

« demoiselle », c'est bizarre, non ? réfléchit Gab.

C'est vrai que c'est étrange. Ma tête résonne de mille échos : « Cyprien, un prénom à coucher dehors. » Qui a kidnappé la Castor ? « Les serpents aiment *Frère Jacques*, c'est bien connu. » Tout le monde imagine la Castor au chevet de son mari en Angleterre. On aurait dû prévenir la police. « Je suis en congé de maternité. » « Un chien m'a agressé et je me suis réfugié en haut d'un mur. » « Et ça t'amuse de la martyriser comme ça ? — Je n'ai pas osé refuser ! Ah ah ah ah ! »

— Ouh ouh ! murmure Gab en agitant les mains devant mes yeux. On y va ?

Je répète, troublé :

— On y va.

Et sur la pointe des pieds, nous sortons de notre cachette.

Le couloir est désert et sombre. Les lumières sont éteintes. Il y a toujours la rumeur des machines, les bips-bips et la même odeur âcre qui nous racle la gorge et le nez.

Sur la première porte à notre droite, une étiquette annonce le « Professeur Charles Samson ».

— C'est le père de Margoton ! s'exclame Gab.

— Entrons ! dis-je d'une voix éteinte.

C'est une petite pièce pleine de livres, de dossiers, de papiers. Il y en a partout, partout, partout, même par terre. Au mur est affichée la coupe anatomique longitudinale d'un serpent, et sur son bureau est posé un petit sous-verre avec une photo de… Margoton. Encore elle ! Elle donne le biberon à un bébé chimpanzé.

Mon père, lui, n'a pas de photo de moi dans un cadre. Pourtant il a un bureau.

— Ce n'est pas ici qu'on va trouver la Castor ! Continuons ! décide Gab.

La lumière du jour faiblit, mais on y voit assez pour poursuivre notre expédition sans lampe de poche.

Du bureau, on peut passer directement dans une autre pièce. Gab entre le premier. Le laboratoire baigne dans une lumière bleutée. Tout de suite, une odeur de produits chimiques nous assèche les narines, et le ronflement assourdissant des machines nous étourdit un peu. J'ai les oreilles qui bourdonnent.

Bip-bip! Je sursaute. Gab aussi.

Je me dis que je suis l'explorateur qui n'aurait jamais, jamais dû venir ici.

Doucement, nos yeux s'habituent au bleu.

— Regarde! s'exclame Gab avec effroi. Y a un ser…

Je me retourne.

Il y a un serpent énorme dans un aqua… vivarium, à un mètre de moi.

Je recule et affirme dans un souffle, un seul:

— C'est celui que j'ai vu dans les jumelles depuis la verrière. Je le reconnais.

Gab s'est rapproché de moi. Ou plutôt, non, c'est moi qui me rapproche de lui et, ensemble, on recule jusqu'au mur. On

regarde la bête avec la même fascination.
Elle est éveillée. Elle se déplace avec une
lenteur pas vraiment rassurante. Je bégaie :
— Partons d'ici !
Gab se tourne vers moi et, de manière

complètement incompréhensible, le voilà qui se met à hurler :

— Aaaahh !

Puis il bondit vers la porte comme un cabri tout fou.

— Re-re-re- garde ! souffle-t-il.

Dans la pénombre, je ne distingue pas ce qu'il me montre du doigt :

— Quoi ? Qu'est-ce qu'il y a ? Parle !

— Là-bas ! fait Gab, tout chancelant. Regarde là-bas !

Mes yeux cherchent… et trouvent. Soudain, je me sens moi aussi vaciller. Le « mur » contre lequel nous étions à l'instant confortablement appuyés pour observer le gros serpent est en fait une vitre. Et de l'autre côté de cette vitre, collées à elle, à moins d'un centimètre de nos dos, gambadent deux énormes araignées poilues ! Un peu comme celles en caoutchouc qu'on achète au magasin de farces et attrapes.

— Ce sont des araignées mortelles, fait Gab.

Je frémis et demande :

— Comment tu le sais ?

— Ça se voit, c'est tout ! me répond nerveusement mon ami en ouvrant la porte qui rejoint le couloir central.

Nous marchons dans la lumière glauque de ce couloir comme on marche dans les cauchemars : avec l'impression de ne pas avancer.

J'ai une boule dans la gorge. J'ai des nœuds dans les genoux, dans les bras, dans le cou. J'ai peur. J'ai furieusement envie de partir quand Gab, avec une voix que je ne lui connais pas, articule lentement entre ses dents :

— Cy-pri-en-dé-ga-geons-d'i-ci.

— Et la Castor alors ! Non, il n'est pas question de s'en aller, nous ne risquons rien.

C'est moi qui ai dit ça ? Je m'étonne moi-même.

Puis, emporté par un élan héroïque aussi inexplicable qu'inattendu, j'ajoute :

— La bête dangereuse, c'est toi si tu te

défiles et si tu laisses la « demoiselle » aux mains de ses ravisseurs.

Et paf !

Gab est estomaqué. Et moi, je me dis que si Margoton m'entendait, elle serait fière de moi. J'ordonne :

— Appelons-la ! À part les bêtes, il n'y a personne ici !

Puis, immédiatement, je passe à l'acte et je hurle :

— Madame Castolet ! Madame Castolet ! Répondez-nous ! C'est Gabriel et Cyprien !

— Madame Castolet ! reprend Gab d'une voix fragile.

Je place mes mains en porte-voix et crie :

— Si vous êtes ligotée ou bâillonnée, tapez du pied ! Faites du bruit !

— Nous sommes venus vous délivrer ! explique Gab.

Nous tendons l'oreille mais, mis à part le ronron et les bips-bips des machines, nous ne percevons aucun signe de détresse, aucun appel au secours, aucune réponse.

54

Je décide avec audace et courage :

— Il faut entrer dans toutes les pièces ! Passer l'étage au peigne fin !

— Ben voyons… murmure Gab.

Puis, enivré par ma bravoure, je m'exclame avec un enthousiasme complètement démesuré :

— À l'assaut !

— Et les bêtes ? bafouille Gab, encore terrorisé.

— Quoi les bêtes ?

— Si tu te retrouves nez à nez avec un éléphant, qu'est-ce que tu fais ?

Je plaisante :

— Je m'excuse et je lui demande gentiment de me laisser passer.

— Cip-Cip ! reprend Gab. Nous sommes dans un « Laboratoire d'observation de la faune tropicale ». Et la faune tropicale, ce sont des lions, des léopards, des girafes, des scorpions, des serpents minutes… Moi, je refuse de continuer, tu m'entends ?

Je l'entends, mais je fais semblant de poursuivre mes recherches, seul. Je m'égosille :

— Madame Castolet !

Gab me suit, il est nerveux :

— C'est dangereux ce qu'on fait ! gémit-il.

J'essaie d'ouvrir la porte de la pièce jouxtant le laboratoire. Elle est fermée !

Gab arrête soudain de se plaindre et regarde dans le trou de la serrure.

— Tu parles, il fait trop sombre maintenant. On n'y voit rien !

J'appelle :

— Madame Castolet ! Êtes-vous là ? Si vous êtes là, tapez des pieds !

— T'as entendu ? ! s'exclame Gab.

Je lui fais signe que non.

— Quelqu'un a frappé !

Gab a l'ouïe fine, à moins qu'il ne soit comme Jeanne d'Arc…

— Frappez encore ! commande mon camarade qui semble avoir repris du poil de la bête, c'est le cas de le dire.

— Toc, toc, toc ! Hi, hi ! Toc !

Effectivement, d'étranges onomatopées retentissent derrière la porte.

Gab interroge :

— Madame Castolet ?

— Hi, hi !

— Ne vous inquiétez pas, nous allons vous sortir de là ! dis-je, tout excité.

J'ajoute :

— Est-ce que vous êtes ligotée ?

— Hi, hi ! répond la Castor.

— Bâillonnée ?

— Hi, hi ! continue la Castor.

— Attachée ?

— Hi, hi !

— Est-ce que vous avez des serpents avec vous ? demande Gab, méfiant.

— Hi, hi !

Gab me regarde :

— À ton avis, ça veut dire oui ou non ?

Je dis n'importe quoi :

— À mon avis, ça veut dire que la pièce est remplie de boas et de pythons, et que la malheureuse est en dessous !

— J'en ai marre de tes âneries ! gémit Gab. Allons-nous-en et prévenons la police !

— Hi, hi ! fait la Castor avec impatience.

Je devine :

— Elle ne veut pas ! Essayons au moins d'ouvrir la porte ! On ne va pas abandonner si près du but ! Entrons dans la pièce d'à côté ! Elle communique peut-être avec la prison de la Cas… de Mme Castolet.

Gab n'est pas chaud pour y aller à cause des bêtes, mais je l'entraîne de force.

— C'est un bureau ! dis-je pour rassurer mon poltron de Gab.

La table et les étagères croulent sous les dossiers et des feuilles, des livres, des papiers, des documents jonchent le sol.

Tout de suite, je repère une porte, au fond, qui mène à la geôle de notre pauvre maîtresse. Évidemment, elle est, elle aussi, verrouillée.

— C'était sûr ! fait mon compagnon.

Derrière, la Castor commence à s'agiter sérieusement, elle frappe :

— Hi, hi ! Toc, toc ! Hi, hi ! Toc, toc !

58

Elle n'arrête plus ! Je marmonne :

— Ne paniquez pas ! On ne va pas vous abandonner.

Pendant que j'essaie maladroitement de crocheter la serrure avec la pointe d'un coupe-papier, Gab fouille partout, dans tous les tiroirs, sur toutes les étagères.

— Hi, hi !

La Castor est déchaînée !

Gab feuillette maintenant des livres, il soupèse le presse-papiers, le distributeur de scotch, l'agrafeuse.

Puis, machinalement, il soulève le serpent naturalisé qui trône près de la lampe, sur le bureau, et...

— Ça alors !

La clé est là !

MONSIEUR CASTOLET

Je hurle :
— Mamaaan !
Je braille :
— Gab ! Gab !
Mais Gab est écroulé par terre et pleure de rire. À sa place, je rirais aussi, mais je ne suis pas à sa place.

Il s'agrippe à moi, il me lèche les joues, il me gratte la tête en poussant des grands « Hi, hi ! » Il colle son nez contre le mien. Il me souffle dessus en gonflant démesurément ses joues, il met son doigt dans mon oreille, il me fait des grimaces, m'embrasse.

61

Je suis raide comme un piquet, à deux doigts de tomber dans les pommes.

Soudain, il saute par terre, exécute pirouettes, roues et autres acrobaties, rejoint son trapèze et se balance d'une main en se tapant sur le torse de l'autre.

Pour résumer, le chimpanzé qui m'a sauté dessus quand j'ai ouvert la porte est visiblement ravi de nous voir !

Gab est hilare. Il n'en peut plus.

— Hi, hi ! répète encore et encore le singe, en grimpant de nouveau sur moi.

J'ai mal à l'estomac. Il est lourd. Très lourd. En plus, il sent mauvais. J'essaie de le poser par terre, mais il se cramponne à moi.

— Descends ! lui dis-je timidement.

— Hi, hi ! répond le singe.

J'implore :

— Fiche-moi la paix !

Mais il me regarde, la mâchoire en avant, la bouche en cœur.

J'éclate de rire. Ce singe est un incroyable pitre apprivoisé.

Je lui dis :

— Tu sais peut-être où est la « demoiselle », toi ?

Le chimpanzé cache ses yeux avec sa main et redouble de « hi ! hi ! » Puis il tend le doigt vers le couloir.

— Tu sais ? C'est vrai ?

— Hi, hi ! reprend-il en brandissant son doigt vers la porte.

Je le félicite :

— Tu es notre sauveur !

Le singe, surnommé par Gab « Monsieur Castolet », me donne la main et m'emmène dans un troisième bureau, un peu plus loin dans le couloir. Il soulève l'éléphant en bronze qui se trouve sur une étagère, prend la clé qui est dessous et désigne une porte qui, comme dans les autres bureaux, mène dans une salle d'expérimentation.

J'insiste :

— La « demoiselle » est là ? Tu es sûr ?

— Hi, hi ! répond Monsieur Castolet pour changer.

J'appelle :

— Madame Castolet !

Pas de réponse.

Gab ouvre en tremblant un peu et se trouve
nez à nez avec un autre singe.

— Hi ouh ouh ! Hi ouh !

Monsieur Castolet et son acolyte semblent très contents de se retrouver et commencent aussitôt un bazar infernal. Roulades, acrobaties sur le trapèze, course, cavalcades, cris, bonds… Ils ne s'occupent plus de nous.

— Et qu'est-ce qu'on fait, maintenant ? demande Gab.

Je me réveille le premier. J'ai mal partout. Gab, à côté de moi, dort encore. La tête à même le carrelage. Je regarde l'heure à son poignet : huit heures tapantes.

— Gab !

— Humm !

Je chuchote à son oreille :

— Réveille-toi ! Il faut sortir d'ici.

— Hein ?

Il se frotte les yeux, bâille, puis sursaute :

— Ha ! J'avais oublié qu'on était là !

— Allons-y ! dis-je.

Nous sortons de notre cachette située au sous-sol de l'immeuble, et nous rejoignons le hall de sortie.

— Qu'est-ce qu'ils vont penser quand ils vont trouver les deux chimpanzés dans la même pièce ? demande Gab.

— À mon avis, ils ne vont rien y comprendre ! Il ne faut rien dire à personne. Même pas à Jonathan.

— Juré ! promet Gab en crachant par terre. Je donne moi aussi ma parole. Et de nouveau, je me mets à réfléchir dans tous les sens : pourquoi tourmentent-ils la Castor de la sorte ? Qu'est-ce qu'elle sait ? Qu'est-ce qu'elle a fait ? Pourquoi Charles Samson, si gentil, si superbe avec sa fille, joue-t-il ce double jeu ? Et Margoton qui est au courant et qui ne fait rien… Qui sont ces gens, au fond ? Et s'ils appartenaient à une organisation secrète ? Et puis, où la cachent-ils pendant la nuit, s'ils ne la laissent pas au laboratoire ? Je ne comprends rien, rien, rien.

Gab, de son côté, se soucie de problèmes plus immédiats :

— Et si ta mère a téléphoné à la mienne,

hier soir ? me demande-t-il, visiblement anxieux.

Je ne réponds pas. Cette éventualité me semble dérisoire face au danger qu'encourt en ce moment même notre maîtresse.

Quand nous arrivons chez moi, maman est en train de cueillir un bouquet dans le jardin.

— Regardez ces roses ! s'écrie-t-elle en nous voyant. Quel rouge magnifique ! N'est-ce pas ?

La mère de Margoton a raison : ma mère est un peu « chochotte ». C'est insupportable. Bientôt neuf heures.

— Qu'est-ce qu'on fait ? demande Gab.

— On organise la journée de demain !

— Ah ! fait Gab.

— Oui ! C'est toi qui iras tout seul à la verrière demain matin, avec les jumelles de mon père, dis-je.

— Et l'école ?

— On va te trouver une excuse.

Gab, je le sens, n'est pas chaud pour aller seul à la verrière.

— Je ne peux pas y aller avec toi ! Si j'arrive encore en retard, bonjour le directeur ! Tu diras que ton réveil n'a pas sonné et voilà !

— Et voilà ! répète Gab, dubitatif.

— Pauvre Castor ! À l'heure qu'il est, elle doit être nez à nez avec un serpent. On ne peut pas la laisser comme ça !

Gab reprend sa ritournelle :

— Allons à la police ! C'est la seule solution.

Soudain, j'ai une idée :

— Et si on allait chez Margoton, plutôt ? Je suis sûr qu'on trouvera des indices pour notre enquête puisqu'elle est au courant !

— T'es malade ou quoi ?

Gab est désespérant.

— Non, dis-je. Et tu sais, en plus, elle nous soufflera des excuses en or pour ma punition, j'en suis sûr !

— Tu veux aller sonner chez Margoton ? s'enquiert encore Gab.

— Oui ! Au point où on en est…

Mais Gab résiste :

— Moi, je ne vais pas chez eux ! Ils sont louches. Et s'ils nous font du mal à nous aussi ? Les serpents et tout le bataclan… Hein ?

— On va prévenir ma mère qu'on va chez elle. Si elle ne nous voit pas revenir, elle s'inquiétera et préviendra la police.

— Et si on allait au commissariat tout de suite ? renchérit mon ami. On a fait ce qu'on pou…

— Gab ! Arrête ta rengaine et allons chez Margoton ! dis-je fermement. Nous devons en savoir plus !

TOURNESOLS

La mère de Margoton nous accueille comme si de rien n'était, le chignon à moitié défait, les lunettes au bout du nez et un livre à la main. Elle nous dit :

— Je ne sais pas où est Margot ! Je ne l'ai pas encore vue ce matin ! Entrez, je vais l'appeler.

Nous entrons, prêts à déguerpir à la moindre alerte. Dès qu'il peut, Gab me donne des coups de coude. Il y a une drôle d'odeur dans cette maison.

— Asseyez-vous dans le salon ! Je vais voir si elle est là !

Un photomaton ! C'est la première chose que je remarque en entrant dans le salon de Margoton, il y a un photomaton ! Le même qu'à la gare !

— C'est bizarre, ici ! fait Gab en avalant sa salive.

— Ça oui !

La maman de Margoton est montée à l'étage :

— Margot ! Où es-tu ? crie-t-elle. Ah ! tu es là ! Viens ma souricette ! Il y a des amis à toi.

Je n'entends pas la réponse de Margoton, mais mon cœur bat la chamade. Poum, poum, poum, j'entends des pas dans l'escalier, je profite des dernières secondes qui me restent pour regarder autour de moi. Le décor de la pièce est vraiment particulier : il y a des coussins et des peaux de mouton partout par terre, il y a aussi trois hamacs, une balançoire, une télévision suspendue au plafond et plein de petits cadres les uns à côté des autres qui tapissent les quatre murs de la pièce.

Margoton apparaît dans un pyjama trop grand pour elle, avec, elle aussi, un livre à la main. Elle ne semble pas surprise de nous voir et nous invite à la suivre dans le jardin.

Le jardin est lui aussi étonnant : il est rempli de tournesols. Il n'y a pas de potager, pas d'autres fleurs : que des tournesols !
Un champ de tournesols !
— Quand ils fleurissent en été, explique Margoton, c'est splendide, et en automne, on passe des journées entières avec papa à observer les oiseaux qui viennent manger les graines.
Margoton n'a pas l'air d'avoir de mauvaises intentions à notre égard. Pieds nus, elle emprunte un chemin qui serpente au milieu des jeunes pieds de tournesols et s'enfonce vers le fond du jardin. Nous la suivons, Gab devant, moi derrière, et nous arrivons sous une tonnelle agrémentée d'une table et de chaises de jardin en fer forgé. Margoton s'assoit. Nous aussi.

— Tu aurais pu te laver, tu sens le chimpanzé ! s'exclame Margoton.

Gab me regarde, impressionné. Nous sommes de nouveau sur nos gardes.

Je réplique timidement :

— C'est mon nouveau parfum : *Tchita* de chez Tarzan. Tu aimes ?

Margoton répète :

— *Tchita* de chez Tarzan ! Mon pauvre Cip-Cip, si les andouilles volaient, tu serais chef d'escadrille !

Je n'ai pas bien compris son histoire d'espadrille, mais en revanche, j'ai bien senti qu'elle se moquait de ma pomme et je riposte, nerveux :

— Espadrille toi-même !

Et vlan !

Margoton éclate de rire et rectifie :

— Es-CA-drille et pas espadrille !

Et Gab, ce traître, de rajouter :

— Tu ne sais pas ce qu'est une escadrille ?

Je rougis.

Margoton fait des ailes avec ses bras et rugit :

— Waaaaaoum !

Gab l'imite, du bout des lèvres d'abord :

— Waaaaoum !

Puis il prend de l'assurance, allonge bien ses bras et braille :

— Waaaaaoum !

Margoton est aux anges. Elle redouble de « Waaaaoum ! » en souriant à Gab.

— Ce sont des avions ou des oiseaux qui volent ensemble en triangle ! explique Gab, entre deux démonstrations.

— Bon ! Ce n'est quand même pas pour me faire sentir ta nouvelle eau de toilette que tu es venu me voir chez moi, Cip-Cip ?

Je bégaie, je perds mes moyens, cette simulation de vol m'a déstabilisé.

— Non ! répond vivement Gab à ma place. C'est pour te demander un service. Est-ce que tu pourrais nous aider à faire sa punition ? Le directeur lui a demandé de trouver cinq excuses rigolotes pour justifier un retard à l'école.

— Cinq excuses… répète Margoton, visiblement excitée par notre requête.

Et d'un seul trait, elle débite :

— Le piéton lumineux du passage protégé est resté au rouge pendant au moins vingt minutes et je n'ai pas pu traverser. Je me suis fait kidnapper par des extraterrestres. Ma mère ne voulait pas que j'aille à l'école et j'ai dû m'échapper. La patte de mon pantalon est restée coincée dans la porte du frigidaire. Et puis heu… il y avait une limace devant chez moi !

Le visage de Margoton s'illumine soudain et elle s'exclame :

— Il y avait une limace devant chez moi ! Ah, ah, ah ! Elle est excellente, celle-là ! hoquette-t-elle, radieuse. Ce sera mon excuse pour demain !

— Et comment sais-tu que tu vas arriver en retard demain ? demande Gab, tout naturellement.

— Parce que, à huit heures et demie, j'ai des choses à faire, mon coco !

— Tu vas retourner à la verrière ? questionne-t-il, comme un abruti.

— Ah ! je vois que monsieur n'a pas pu s'empêcher de bavarder ! chantonne Margoton en me regardant droit dans les yeux.

Quel idiot-bête, ce Gab ! Et le voilà, encore, qui en rajoute :

— Si tu vas au gratte-ciel, j'aimerais venir avec toi ! insiste-t-il lourdement.

Mais qu'est-ce qui lui prend ? Il est fou ou quoi ? Je lui donne un bon coup de pied sous la table.

— D'accord ! fait Margoton. Rendez-vous devant le chantier, à huit heures et demie tapantes. Et tu veux que je te trouve une petite excuse pour le directeur ?

— Oh oui ! fait Gab, complètement subjugué.

— T'auras qu'à dire que quelqu'un t'a donné un bon coup de pied dans le tibia et que tu as dû venir à l'école sur une jambe.

Je suis vert. Elle me ridiculise et je ne dis rien !

Gab réfléchit :

— Sur une jambe ? ! Mais c'est impossible !

— C'est une façon de parler !

— Et si le directeur veut m'emmener à l'hôpital ?

— Eh bien, t'iras à l'hôpital ! Y a plein de choses intéressantes à voir, à l'hôpital !

Soudain :

— Margot ! Téléphone pour toi ! C'est ton père !

Margoton se lève comme une fusée et disparaît au milieu des tournesols.

— T'as vu ça ! fait Gab. Je m'en suis sorti comme un chef !

Je braille :

— QUOI !

— Je suis invité à l'accompagner à la verrière !

— Mais qu'est-ce que tu racontes, tu aurais pu y aller seul à la verrière !

— Oui ! Sauf qu'avec elle, c'est mieux ! Je vais pouvoir la cuisiner sur le sort de la

Castor, tu comprends ? C'est génial, non ?

De mauvaise humeur, je me lève et traverse le jardin. Suivi de près par Gab qui, manifestement, ne comprend pas ma réaction.

Mme Samson lit sur la terrasse. Je lui demande :

— Madame, est-ce que vous avez l'heure, s'il vous plaît ?

— Non, me répond-elle. Nous n'avons pas l'heure à la maison !

— Ah bon ! Et comment fait Margoton pour ne pas arriver en retard à l'école ? s'étonne Gab.

— Je crois qu'elle se débrouille assez bien… commente évasivement la mère de Margoton. Moi, je sais comment elle fait…

Gab est rentré chez lui, et moi chez moi. Enfermé dans ma chambre, je rumine. Je fulmine aussi. Rien ne va.

D'un côté, il y a cette pauvre Castor emprisonnée chez les serpents. Appeler la police ? Non, je suis sûr qu'il ne faut pas faire ça. Ils vont venir à la maison, et patati, et patata. Et si ma mère apprend le coup de la verrière et de cette nuit, alors là, c'est la fin des haricots…

Et de l'autre côté, il y a moi. Moi, ridiculisé par Margoton, trahi par Gab et exclu par les deux. Trahi! Oui, exactement. Pourquoi lui a-t-il parlé comme ça? C'était à moi de mener la conversation, de prendre des initiatives… Pas à lui! Et Margoton : « Veux-tu que je te trouve une excuse pour demain? » Gna gna gna gna…

Je suis jaloux, voilà tout! Jaloux! De la maison originale de Margoton, de son père si affectueux, de sa mère pas chochotte, de leur vie, de leurs livres. Chez nous, on ne lit pas. Le journal, c'est tout. De toute façon, je déteste ça, lire. Et puis je suis jaloux de Gab, de son rendez-vous de demain. S'ils devenaient amis? Si elle le trouvait moins bête que moi? Si…

Pourtant, j'en ai fait des choses bien depuis le début de cette histoire. Quand j'ai collé les photomatons sur le poteau, c'était bien ça, non ? Quand je suis monté la voir dans l'arbre, c'était bien aussi, non ? Au laboratoire, c'est moi qui ai été le plus courageux. Avec le chimpanzé, par exemple, je n'ai pas paniqué.

Je bâille… La nuit a été mouvementée, courte, inconfortable. Je bâille encore et doucement, je me mets à rêver tout éveillé. Je rêve de moi, demain, en train de délivrer héroïquement la Castor. De moi me balançant dans le salon de Margoton. De moi en photo sur le bureau de mon père. De moi avec un boa autour du cou. De moi qui… Je m'endors.

— Cip-Cip !
Ma mère vient d'entrer dans ma chambre.
— Mais tu dors, mon garçon !
Je m'étire…
— Cip-Cip ! Gab est dans le jardin. Il voudrait te parler.
Qu'est-ce qu'il me veut encore, celui-là ?

Je sors. Immédiatement, il me saisit le bras et me chuchote :

— Cip-Cip ! J'ai du neuf !

— Raconte !

— J'ai passé l'après-midi devant l'immeuble aux stores rouges, caché entre deux voitures…

— Et alors ?

— J'ai vu la Castor sortir ! Elle avait des lunettes noires, un chapeau à fleurs et une robe vert pomme !

Je m'écrie :

— La Castor en robe ? C'est impossible ! Elle est toujours en pantalon !

— C'était elle, j'en suis sûr. Le père de Margoton la tenait par le bras et ils sont montés dans un taxi.

— Et où est allé le taxi ?

Pour toute réponse, Gab fait « Pout ! » avec sa bouche.

Je soupire :

— La Castor en robe ! J'aurais aimé voir ça !

Gab me saisit le coude et dit :

— Tu étais fâché contre moi tout à l'heure, hein ?

J'avoue simplement :

— Oui !

— Excuse-moi ! Mais je voulais faire avancer l'affaire ! Tu sais, j'aimerais bien être détective privé quand je serai grand.

Je souris et je me force à dire :

— Moi, je veux être chef d'esPAdrille !

7

Le cadeau

Jeudi matin. Comme d'habitude, Margoton sort de chez elle quand elle me voit passer, moi, sa petite pendule du matin.
Elle me lance son « Bonjour Cyyyprien ! » et évidemment, elle m'emboîte le pas !
Dans mon dos, j'entends claquer les bulles qu'elle fait avec son chewing-gum. Je ne me retourne pas, surtout pas.
Au bout de l'impasse, elle me double en sautant à cloche-pied et... colle sur le premier poteau venu un papier pour moi.
C'est un article de journal !
Je lis le titre :

UN COUP DE CHIMPANZÉS !

Je frémis…

Hier matin, le professeur Samson et son équipe du laboratoire d'observation de la faune tropicale ont retrouvé deux de leurs chimpanzés dans la même cage !

Heureusement, le mystère a été vite éclairci : il y a un mois environ, le trousseau de clés professionnel du docteur Gaspar, chercheur au laboratoire, avait mystérieusement disparu alors qu'il examinait Luigi, un chimpanzé particulièrement intelligent et affectueux. Le singe, manifestement auteur du vol, aurait dissimulé les clés très habilement dans la pièce où il vit.

Le professeur Samson avait demandé de nombreuses fois aux services techniques du laboratoire de venir changer la serrure de Luigi, mais aucun ouvrier n'avait pris le temps de le faire.

« *Ce qui devait arriver est arrivé*, explique le professeur Samson. *Dans la nuit de mardi à mercredi, notre Luigi a réussi à ouvrir sa porte, il l'a même refermée à clé et est allé rendre une petite visite à Gina, une guenon du service, et s'est enfermé avec elle !* »

De son côté, le directeur du service technique réfute cette hypothèse : « *Luigi est certes intelligent, mais je ne crois pas qu'il ait pu élaborer un tel plan* », dit-il.

Des analyses sanguines ont été réalisées hier matin sur la guenon et ont révélé que Gina… attendait un petit pour la fin de l'année !

« *Je remettrai le bébé singe aux ouvriers du service technique !* » a promis le professeur Samson qui n'a pas perdu son sens de l'humour.

Luigi… le vrai nom de Monsieur Castolet, c'est Luigi… Quand je vais dire ça à Gab ! Je me sens dans un état bizarre.

Mais au fait, où est Margoton ? Je ne la vois pas devant moi. Pourquoi m'a-t-elle fait lire cet article ? Est-ce qu'elle se doute de quelque chose ?

Je reprends ma route, songeur, quand soudain j'entends dans mon dos des claquements de chewing-gum assortis de longs reniflements ! Margoton ! Qu'est-ce qu'elle fait encore derrière moi ? Elle a dû m'attendre, cachée dans un coin.

Agacé, je me retourne et aboie :

— On peut savoir pourquoi tu m'as fait lire cet article ?

— Je pensais que tu t'intéressais aux chimpanzés !

— Qu'est-ce que tu racontes encore comme salades ?

Elle sourit malicieusement et dit :

— Ah, au fait ! j'ai un cadeau pour toi !

Et elle sort de son sac un petit paquet.

— Tiens !

Je flaire le mauvais coup et demande sèchement :

— En quel honneur?

Margoton ne répond pas – j'ai l'habitude – et elle se sauve à toutes jambes, me laissant seul, les mains pleines.

Je m'empresse d'ouvrir et découvre une petite bouteille en verre!

Elle porte une étiquette sur laquelle est écrit à la main : *Luigi de chez Stores Rouges*. Du faux parfum ! Je le sens et, bien sûr, il pue… C'est abominable !

Je regarde Margoton au loin, qui traverse le boulevard, et je pense :

— Elle sait. Maintenant, c'est sûr, elle sait qu'on a passé la nuit au laboratoire. Et son père est au courant aussi.

Jusqu'à l'école, je répète pour m'étourdir :

— Elle sait, elle sait, elle sait, elle sait, elle sait, elle sait… Elle sait, son père sait, son père sait qu'on sait pour la Castor, son père n'a pas prévenu la police donc il va prévenir ses complices, ceux à qui il n'a « pas pu refuser » et eux vont nous KIDNAPPER puisqu'ils sauront qu'on sait.

Je regarde autour de moi. Rien de suspect. Paniqué, j'accélère, je cours jusqu'à l'école.

À peine installés à nos places, le directeur nous montre une carte postale et dit :

— Mme Castolet vous a envoyé un petit mot. Son mari est toujours à l'hôpital, mais il va mieux !

Je bondis sur ma chaise ! Mes yeux s'ouvrent tout ronds. J'avale ma salive.

— Cyprien ! Puisque tu es presque debout, viens au tableau et lis-la à tes camarades. Tu nous parleras ensuite de ta punition.

Impossible d'y échapper. Je tremble. La carte représente un bus rouge à deux étages. Je commence :

« *Mes chers élèves, je suis à Londres. La capitale de…* »

La vache ! Elle a laissé un blanc ! Trois petits points exactement ! Je jette un œil sur la totalité de la carte : il y a plein de trous ! Un véritable morceau de gruyère !

Je me retourne vers le directeur et dis :

— Elle a laissé un espace.

— Et Londres est la capitale de quel pays, Cyprien ?

— De l'Angleterre, dis-je, déjà anxieux pour la suite.

90

Je continue :

« *C'est la reine…* »

— Qui est la reine d'Angleterre ?

Bonne question !

Je pense soudain à Gab qui est sous la verrière. Et si Margoton avait organisé son
enlèvement ? Cela ferait toujours un gêneur
de moins, et puis il ne resterait plus que moi.
Je panique.

— Ouh ouh ! Cyprien !

Dans l'urgence, je regarde le directeur et bafouille n'importe quoi :

— Gertrude !

Rien qu'à voir la tête du père Dumond, je sais que ce n'est pas la bonne réponse.

— E-LI-ZA-BETH ! La reine Elizabeth II ! articule-t-il.

Je poursuis :

« ... *qui dirige ce pays. Elle habite à...* »

Encore un blanc ! Eh bien moi, je ne sais pas où elle habite E-li-za-beth ! Dans un château sans doute.

Soudain, j'ai une lumière et je m'exclame :

— Big Ben !

La moitié de la classe hurle de rire.

— Quel humour ! Cyprien !

Je ne plaisante pas mais, pour garder la face, je fais semblant de m'esclaffer avec les autres.

Et Gab qui est peut-être bâillonné au dernier étage du gratte-ciel... Je tressaute.

— Alors, où habite la reine d'Angleterre ? demande François Dumond.

— Buckingham Palace ! hurle Sidonie, l'avant-première de la classe.

La tête ailleurs, je reprends :

« *Je suis passée devant son palais tout à l'heure. Il est superbe. En ce moment même, je suis assise sur un banc dans le parc le plus fameux de Londres. Il s'appelle…* »

Pas la peine de réfléchir, ça, je ne le sais pas.

— Qui est allé à Londres ? demande le directeur.

Sûrement pas moi ! À part la Côte d'Azur, je n'ai jamais voyagé. Tous les ans, depuis que mes parents se connaissent, ils louent une villa à Saint-Cyprien. C'est d'ailleurs pour ça que je m'appelle Cyprien. « Un prénom à coucher dehors ! » comme dirait l'autre grande saucisse.

Aucun doigt ne se lève.

— Bien ! Le plus grand parc de Londres s'appelle Hyde Park, reprend-il. C'est dans…

Toc, Toc, Toc !

Quelqu'un vient de frapper à la porte.

Gab !

Il rentre en claudiquant. Que s'est-il passé ?
A-t-il été agressé ?

— Je me suis tordu la cheville et j'ai du mal
à marcher, fait Gab en grimaçant.

C'est tout juste s'il ne pleure pas.

Tout de suite, le directeur le porte, l'assoit
sur son bureau et examine sa jambe.

Gab me regarde. Je regarde Gab.

— Ta cheville est toute gonflée, dit le directeur. Tu n'aurais pas dû marcher jusqu'ici.
Où es-tu tombé ?

Gab hésite, il me regarde encore et dit :

— Sur le boulevard.

Il ment. J'en suis sûr.

— Il faut aller à l'hôpital ! dit le directeur.

Puis il quitte la classe pour aller téléphoner.

Sans tarder, je me rue sur mon camarade :

— J'ai vu le python ! me dit-il immédiatement avant que je ne le questionne. J'ai vu la
Castor qui criait. J'ai vu le professeur Samson qui lui mettait la bestiole dans les bras.

94

J'ai tout vu, mais les ouvriers du gratte-ciel nous ont surpris et on s'est sauvés en courant. C'est comme ça que je me suis foulé la cheville.

Je serre Gab entre mes bras. Je me sens soulagé et je soupire à son oreille :

— J'ai eu tellement peur que tu te fasses enlever !

— Tu dérailles ou quoi ? s'étonne Gab.

— Margoton sait tout ! Son père aussi. Ils vont prévenir leurs complices et ils vont nous kidnapper !

— Qu'est-ce que tu racontes ?

— Ils doivent avoir peur qu'on prévienne la police et ils vont nous faire disparaître ! T'as compris maintenant ? Et en plus, j'ai oublié de te dire : on a reçu une carte de la Castor aujourd'hui !

Gab jette un œil :

— Je reconnais son écriture ! Ils lui ont fait écrire une carte ici et sont allés la poster eux-mêmes en Angleterre ! Malin !

Je me moque :

— Tu devrais faire détective privé !
Je lui glisse l'article des *Nouvelles du jour*
dans la main :
— Tu liras ça à l'hosto, tout à l'heure !
Et je lui fourre *Luigi de chez Stores Rouges*
dans la poche en lui disant :
— Tiens, tu sentiras ça, aussi !

8

FRANCINE

Depuis hier, j'ai peur en permanence. Je cours entre l'école et chez moi, et pendant les récréations, je reste près des grandes personnes. On ne sait jamais. Hier soir, j'ai bloqué l'entrée de ma chambre avec une chaise et cette nuit, je n'ai pratiquement pas dormi. Je sursautais à chaque bruit, à chaque craquement.

Ce matin, quand je suis arrivé dans la cour, Gab se pavanait avec ses béquilles et sa cheville dans le plâtre. C'est ce soir normalement qu'on doit aller à la police tous les deux.

— On ira à quatre heures et demie après le spectacle ! m'a dit Gab dès qu'il m'a vu.

Cet après-midi, il y a une représentation. Moi, j'adore les spectacles, mais avec toutes ces histoires de Castor et de Margoton, je n'ai pas envie d'y aller.

En plus, depuis ce matin, Gab frime avec son pied et ça m'énerve. D'ailleurs, aujourd'hui, tout m'énerve. Tous ceux qui essayent ses béquilles m'énervent. Tous ceux qui signent sur son plâtre m'énervent. Devoir aller à la police ce soir m'énerve. Et la Margoton, ne parlons pas de Margoton ! Avec ses regards railleurs et ses sourires en coin, elle m'exaspère.

Une estrade a été installée au milieu de la cour.

Boum ! Boum ! Boum ! Les trois coups !

— Le spectacle va bientôt commencer ! prévient le directeur, comme si on ne s'en doutait pas.

Arrive un clown. Je le reconnais au premier coup d'œil : c'est l'instituteur des CE2.

— Bonjour les petits néléphants ! !

Tout le monde rit sauf moi. Il culbute, il souffle dans de la farine. C'est nul. Le temps ne passe pas vite.

Voilà maintenant une jongleuse (la maîtresse des CP), puis c'est au tour d'un dresseur de puces de présenter son numéro.

Le dresseur en question est le directeur. Lamentable.

— Vous l'avez vue, ma puce ? Elle vient de sauter dans ma main ! crie-t-il.

Un vrai spectacle pour maternelles !

Où est Margoton ? Je la cherche. Elle est au dernier rang et, bizarrement, contrairement aux autres élèves, elle ne regarde pas la scène mais derrière elle, vers le fond de la cour. Machinalement, je me retourne aussi et étouffe un « han ! » d'effroi.

La Castor est au fond de la cour !

Elle se triture les doigts, fait les cent pas. Elle a l'air tendu.

— Ses ravisseurs sont malins, chuchote Gab. Ils la montrent l'après-midi comme

si tout allait bien et ils la torturent le matin.

Le directeur a terminé ses singeries, et voilà la Castor qui monte sur la scène d'un pas incertain.

— Je croyais qu'elle était en Angleterre ! remarque Sophie.

— Elle est bizarrement habillée ! constate Clara.

— Elle est habillée en hindoue ! murmure encore Gab.

Elle fait une révérence et tout le monde applaudit.

— Je vais vous raconter un conte oriental ! annonce-t-elle, visiblement intimidée.

Gab me donne un grand coup de coude dans les côtes.

Et elle commence :

« Il était une fois une femme qui jouait mer-veilleusement bien de la flûte… »

Je n'entends pas son histoire. Je réfléchis. La pauvre Castor ! Maltraitée le matin, elle vient nous raconter des histoires l'après-midi ! Comme elle est pâle ! Et puis elle bafouille ! Il faut que tous sachent ce qui lui arrive. La seule façon de l'aider et de la libérer de ses ravisseurs est de dévoiler sa souffrance en public. Mais oui ! bien sûr, c'est ça qu'il faut faire ! Je vais leur dire, moi, à mes camarades, qu'on la torture. Je vais dénoncer le père de Margoton ! Je vais… Je me lève d'un coup, je chancelle, j'essaie de parler, mais ma voix ne sort pas.

— Assis ! m'ordonne fermement une dame de service.

Et juste à ce moment-là arrive le père de Margoton, déguisé en fakir et portant un sac en toile sur le dos !

Tout le monde hurle ! Je suis toujours debout, pétrifié.

Le professeur Samson pose son sac, saisit la Castor et la ligote sur une chaise. Elle se débat un peu, mais il est plus fort qu'elle. Ensuite, il sort un serpent de son sac.

Le public s'agite et les enfants qui sont installés au premier rang reculent autant qu'ils peuvent.

Le fakir fait danser l'animal autour de la Castor. Elle se raidit et fait des grimaces. Puis il dépose l'animal autour de son cou.

Je regarde Gab, mais il est complètement subjugué par ce qu'il voit. Je demande à Jonathan :

— Pourquoi il lui fait ça ?

— Fallait écouter l'histoire, mon vieux ! me répond-il.

J'ai mal au ventre.

Le fakir détache la Castor et lui ordonne à la fois de jouer de la flûte et de danser avec le serpent autour du cou.

Tout tourne autour de moi.

Tout le monde applaudit à tout rompre. Margoton lance :

— Hip ! Hip ! Hip !

La Castor et le père de Margoton nous saluent. Ils se donnent la main, ils se regardent, ils sourient.

Les applaudissements durent longtemps et, enfin, le directeur, encore habillé en dresseur de puces, monte sur l'estrade :

— Merci ! Merci ! dit-il. Vous avez été formidables !

Puis il continue, tout essoufflé, dans le micro :

— Les enfants, je vous présente Francine Grandidier, la sœur jumelle de… de qui ?

— De Mme Castolet ! hurle tout le monde sauf moi.

— Oui, de Françoise Castolet, qui est actuellement absente pour des raisons familiales ! Elles se ressemblent comme deux gouttes d'eau, n'est-ce pas ?

— Ouiiuiui ! crient mes camarades.

Je suis abasourdi. Gab aussi.

— Je vous présente aussi Charles Samson, le père de Margot qui est en CM2. Il est responsable du laboratoire d'observation de la faune tropicale et il a accepté très gentiment de préparer ce numéro avec Francine. Francine, pouvez-vous nous dire un mot sur votre petite mise en scène ?

La jumelle s'empare du micro et raconte :

— Les serpents m'ont toujours effrayée. Quand j'étais petite, je croyais qu'il y en avait au fond de mon lit et, pendant des années, toutes les nuits, j'ai dormi les jambes recroquevillées. Alors, j'ai eu envie d'aller au-delà de cette peur, et quand ma sœur m'a proposé de participer au spectacle, j'ai tout de suite accepté. Pendant une semaine, je me suis rendue tous les matins au laboratoire du professeur Samson et nous avons travaillé. Cela a été très difficile, mais j'ai été très heureuse de monter sur scène avec lui aujourd'hui !

— On s'est bien fait avoir, hein ? me dit Gab par-dessus mon épaule, en riant comme un tordu.

Gab a une bonne nature, il passe vite d'une chose à une autre.

Je hoche la tête, toujours sans voix.

Gab me secoue :

— Eh ! Remets-toi !

Il agite la main devant mes yeux en faisant:

— Hou! Hou! Réveille-toi, on s'est fait avoir, c'est tout!

C'est Margoton qui me fait sursauter:

— Alors Cip-Cip! Le spectacle t'a plu? glousse-t-elle d'un ton plein de sous-entendus.

— Oui! Surtout le numéro du dresseur de puces, dis-je d'une voix enrouée.

— J'en étais sûre! remarque-t-elle en me tendant deux paquets de chewing-gum. Quel parfum? Poulet ou haricots verts?

Je réponds:

— Artichaut, t'as pas?

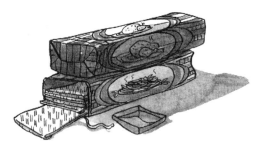

TABLE DES CHAPITRES

Mystère
CADET / DÈS 8 ANS